# Geschichten für Ausländer

*Daria Gałek*

# Inhaltsverzeichnis

# Einleitung

"Geschichten auf Deutsch für Ausländer" ist eine Sammlung von 20 leicht verständlichen Geschichten, speziell für Deutschlernende Anfänger konzipiert. Die Geschichten sind in einfacher Sprache verfasst und präsentieren Figuren und Situationen, mit denen Leser sich leicht identifizieren können, was sie ideal für diejenigen macht, die gerade erst anfangen, diese Sprache zu lernen.

Jede Geschichte enthält Übungen, mit denen die Leser ihr Verständnis des Textes überprüfen und ihren deutschen Wortschatz sowie ihre Grammatikkenntnisse erweitern können.

Ob Sie Deutsch zum ersten Mal lernen oder Ihre Lesefähigkeiten verbessern möchten, "Geschichten auf Deutsch für Ausländer" ist eine wertvolle Ressource für alle, die die Sprache auf eine unterhaltsame und interessante Weise erlernen möchten.

# Kapitel 1: Ankunft in der Stadt

Petra ist eine junge Frau, die gerade mit dem Bus aus ihrer Heimatstadt in die Stadt gekommen ist. Sie ist fünfundzwanzig Jahre alt und freut sich darauf, ein neues Leben in der Stadt zu beginnen. Sie hält einen kleinen Koffer und eine Tasche in der Hand, während sie durch die Innenstadt schlendert. Sie fühlt sich ein wenig verloren und ist sich nicht sicher, wohin sie gehen soll, um ihr neues Zuhause zu finden. Plötzlich kommt ein Mann auf sie zu und lächelt.

– Hallo, ich bin Paul. Brauchst du Hilfe? – fragte der Mann lächelnd.

– Hallo! Ich bin Petra. Ich bin gerade in die Stadt gekommen und weiß nicht, wie ich meine neue Wohnung finden soll. – antwortete Petra überrascht über das Hilfsangebot.

– Mach dir keine Sorgen. Wo wohnst du? – fragte Paul höflich.

– Ich wohne in der Schmetterlingsstraße 23.

– Das ist nicht weit! Du musst einfach weiter die Straße entlang gehen und dann rechts in die Blaue Straße abbiegen. Die Schmetterlingsstraße ist zwei Blocks weiter. – erklärte Paul.

– Vielen Dank! – bedankte sich Petra erleichtert.

– Kein Problem. Einen schönen Tag noch! – verabschiedete sich Paul, bevor er ging.

Dank Pauls Anweisungen fand Petra mühelos den Weg zu ihrer neuen Wohnung. Sie war aufgeregt, ein neues Leben in der Stadt zu beginnen, und plante, die Stadt in den kommenden Tagen zu erkunden.

# Kapitel 2: Lebensmittelgeschäft

Petra beschloss, zum Lebensmittelgeschäft zu gehen, um ihren Kühlschrank in ihrer neuen Wohnung zu füllen. Als sie ankam, bemerkte sie, dass es sauber und ordentlich war. Petra ging zu einem Mitarbeiter, der gerade die Produkte im Regal auffüllte.

– Guten Tag. – begrüßte sich Petra lächelnd. – Wo kann ich Gemüse finden?

– Guten Tag. – antwortete der Mitarbeiter höflich. – Gemüse befindet sich im Abschnitt links am Ende des Ganges.

– Danke schön. – bedankte sich Petra freundlich. – Habt ihr frische Tomaten und Salat?

– Ja, wir haben heute Morgen eine neue Lieferung bekommen. Sie befinden sich im Abschnitt mit frischem Gemüse gleich hier. – erklärte der Mitarbeiter begeistert.

Petra bedankte sich beim Mitarbeiter und begab sich zur Gemüseabteilung. Sie bemerkte viele frische und qualitativ hochwertige Produkte. Sie nahm einige Tomaten und frischen Salat und beschloss dann, nach Obst zu suchen.

– Ich brauche auch ein paar Früchte. Wo kann ich sie finden? – fragte die neugierige Petra.

– Obst befindet sich im Abschnitt rechts direkt nach den Dosenprodukten.

– Perfekt, danke.

Petra fand die Abteilung mit frischem Obst und nahm ein paar Äpfel und Bananen für die ganze Woche. Schließlich brachte Petra ihre Einkäufe zur Kasse.

– Das macht insgesamt 15 Euro, bitte. – sagte der Mitarbeiter mit klarer Stimme.

– Akzeptiert ihr Kreditkarten? – erkundigte sich Petra.

– Ja, wir akzeptieren Kredit- und Debitkarten. Sie können auch bar bezahlen.

– Gut, vielen Dank.

Petra bezahlte ihre Einkäufe mit der Kreditkarte und verließ den Laden, bereit, ihre erste Mahlzeit in ihrem neuen Zuhause zuzubereiten.

# Kapitel 3: Treffen mit den Nachbarn

Eines Tages erhielt Petra eine Einladung von den Nachbarn zu einem Treffen im Gebäude. Sie war aufgeregt über die Möglichkeit, ihre Nachbarn kennenzulernen und mehr über die Gemeinschaft zu erfahren. Das Treffen sollte an einem Samstagnachmittag im Gemeinschaftsraum des Gebäudes stattfinden.

Petra kam im Gemeinschaftsraum an und war überrascht, so viele Leute dort zu sehen. Sie ging zu einer Gruppe von Leuten, die miteinander sprachen, und stellte sich vor.

– Hallo! Mein Name ist Peter. Bist du die neue Mieterin? – fragte einer der Nachbarn.

– Ja, genau. Ich bin Petra und bin erst vor ein paar Tagen hier eingezogen. – antwortete sie.

– Willkommen in der Gemeinschaft! Ich bin Agnes. Gefällt es dir hier? – fragte eine andere Nachbarin.

– Ich bin sehr aufgeregt, hier zu sein. Ich liebe das Gebäude, und die Lage ist für mich ideal.

– Schön zu hören. Genießt du die Stadt bisher? – fragte der dritte Nachbar.

– Ja, ich erkunde viel.

Das Treffen begann mit einer Ansprache des Präsidenten des Vereins. Er sprach über kommende Veranstaltungen und diskutierte verschiedene Angelegenheiten im Zusammenhang mit der Modernisierung des Gebäudes.

Petra fühlte sich wohl unter ihren Nachbarn und war begeistert, von den geplanten Aktivitäten und Ereignissen zu hören. Sie war glücklich, dass sie an dem Treffen teilgenommen hatte, und spürte eine Verbindung zur lokalen Gemeinschaft.

# Kapitel 4: Der erste Arbeitstag

Petra war aufgeregt an ihrem ersten Tag in der neuen Firma. Sie kam früh ins Büro und traf sich mit ihrem Chef, David.

– Hallo, Petra! Ich freue mich, dass du so früh hier bist. – sagte David – Bist du bereit, deinen ersten Arbeitstag zu beginnen?

– Hallo, David. Ja, ich freue mich sehr.

– Super. Ich zeige dir unser Büro.

David führte Petra durch das Büro und zeigte ihr die verschiedenen Abteilungen. Dann kamen sie zu Petras Arbeitsplatz.

– Hier wirst du arbeiten. – sagte David – Wie du siehst, hast du deinen eigenen Computer und Telefon. Jetzt werde ich dich dem Team vorstellen.

David stellte Petra jedem ihrer neuen Arbeitskollegen vor, einschließlich ihres Teamkollegen Sebastian.

– Petra, das ist Sebastian, dein Teamkollege. – sagte David.

– Hallo, Petra. – sagte Sebastian lächelnd – Freut mich, dich kennenzulernen.

– Hallo, Sebastian. Ich freue mich darauf, mit dir zu arbeiten. – antwortete Petra.

– Großartig! – sagte David – Jetzt kannst du mit der Arbeit beginnen. Sebastian wird dir bei den wichtigsten Dokumenten helfen. Herzlich willkommen in unserem Team!

Nach dem Treffen mit dem Team setzte sich Petra an ihren Schreibtisch und begann, sich in ihre Aufgaben einzuarbeiten. Sebastian zeigte ihr freundlich die wichtigsten Unterlagen. Petra war begeistert von den Möglichkeiten, die sie in ihrem neuen Job erwarteten. Sie fühlte, dass sie die richtige Entscheidung getroffen hatte, in dieser Firma zu arbeiten. Nach getaner Arbeit ging sie nach Hause, um sich auszuruhen.

# Kapitel 5: Treffen mit Freunden

Petra traf sich mit ihren Freunden, um in einem Café in der Innenstadt einen Kaffee zu trinken. Sie war aufgeregt, da sie ihre Freunde schon lange nicht mehr gesehen hatte und ihre neuen Arbeitserfahrungen mit ihnen teilen wollte.

Nach den Begrüßungen und der Bestellung von Kaffee begann Petra das Gespräch:

– Wie geht es euch? Wir haben uns schon lange nicht mehr gesehen!

– Gut, gut. – antwortete ihr Freund Michael – Ja, das stimmt, es ist schon eine Weile her.

– Ja, seitdem ich bei der neuen Firma angefangen habe, hatte ich nicht viel Zeit zum Ausgehen.

– Und wie läuft es bei der Arbeit? Gefällt dir dein neuer Job? – fragte eine andere Freundin, Anna.

– Ja, es gefällt mir sehr. Ich arbeite mit sehr netten Leuten und lerne viele neue Dinge.

– Und was machst du in deiner Freizeit? Hast du neue Hobbys? – sagte Michael.

– Ja, vor kurzem habe ich angefangen, Französisch zu lernen. Mir gefällt das sehr, und ich würde gerne in Zukunft nach Paris reisen.

Nach einer Weile des Gesprächs bemerkte Petra, dass eine ihrer Freundinnen besorgt aussah.

– Was ist los? – fragte Petra Anna – Du siehst besorgt aus.

– Ja, im Moment plane ich meinen Urlaub und weiß nicht, wohin ich gehen soll. Mir fehlen Ideen. – antwortete sie bedrückt.

– Möchtest du mit mir nach Frankreich kommen?

– Wirklich? Natürlich, ich wäre glücklich! – rief Anna mit einem Lächeln.

Nach dem Kaffee fühlte sich Petra glücklich und entspannt. Sie war froh, dass sie sich mit ihren Freunden treffen konnte und ihre Erfahrungen teilen konnte.

# Kapitel 6: Besuch in der Bibliothek

Petra entschied sich, die Bibliothek zu besuchen, um einige Bücher zu finden, die ihr helfen würden, ihr Wissen über ihre neue Arbeit zu vertiefen. Als sie in der Bibliothek ankam, begab sie sich in den Bereich für Wirtschaft und begann, Bücher zu durchsuchen.

Plötzlich kam ein Bibliothekar auf sie zu und fragte:

– Hallo, ich bin Lukas. Brauchst du Hilfe beim Finden eines Buches?

– Ja, ich suche Bücher über Finanzen und Wirtschaft. – antwortete Petra.

– Ah, ich kann dir dabei helfen. Hast du bereits einige interessante Bücher gefunden?

– Ja, ich habe einige Bücher gefunden, bin mir aber nicht sicher, ob es die richtigen Titel sind. Könntest du sie dir ansehen?

– Natürlich. Lass mich mal schauen. Ah, das ist ein gutes Buch über persönliche Finanzen. Und das andere handelt von internationalen Angelegenheiten. Ich denke, das wird dir helfen.

– Vielen Dank. Das ist genau das, wonach ich gesucht habe.

Nachdem Petra die Bücher ausgewählt hatte, setzte sie sich an einen Tisch und begann, eines der Bücher zu lesen. Plötzlich kam ein anderer Mann auf sie zu und fragte:

– Hallo, liest du dieses Buch über persönliche Finanzen? Es ist wirklich ein großartiges Buch, findest du nicht?

– Ja, das stimmt. Ich habe bereits viel gelernt.

– Ich heiße Gregor übrigens. Ich arbeite in einer Investmentfirma. Wenn du in Zukunft finanzielle Ratschläge benötigst, frag mich ruhig.

– Danke, Gregor. Ich werde gerne auf dein Wissen zurückkommen.

Petra war dankbar für die Hilfe, die sie von Lukas und Gregor erhalten hatte. Als sie schließlich die gesuchten Bücher fand, beschloss sie, sie auszuleihen und in Ruhe zu Hause zu lesen.

# Kapitel 7: Tag am Strand

Petra stand früh auf, um einen Tag am Strand zu genießen. Es war ein sonniger Tag und der perfekte Moment zum Sonnenbaden und Schwimmen im Meer. Sie zog ihren Badeanzug an, schnappte sich ein Handtuch und verließ das Haus, auf dem Weg zum Strand. Als sie jedoch dort ankam, bemerkte sie, dass sie ihre Sonnenbrille zu Hause vergessen hatte.

– Oh nein! Ich habe meine Sonnenbrille zu Hause vergessen! – beschwerte sich Petra.

In diesem Moment kam ein junger Mann auf sie zu und bot ihr eine Sonnenbrille an.

– Hallo, brauchst du Hilfe? Ich heiße Matthias. – sagte der junge Mann.

– Hallo! Ich bin Petra. Ich bin gerade zum Strand gekommen und habe bemerkt, dass ich meine Sonnenbrille zu Hause vergessen habe. – antwortete Petra überrascht über das Hilfsangebot.

– Mach dir keine Sorgen, ich habe eine Sonnenbrille, die du benutzen kannst. – sagte Matthias lächelnd.

– Vielen Dank! – bedankte sich Petra erleichtert.

– Kein Problem, ich hoffe, sie werden nützlich sein. – sagte Matthias, bevor er sich entfernte.

Petra verbrachte den Tag am Strand, sonnte sich, las ein Buch und schwamm im Meer. Als die Sonne unterging, entschied sie, dass es Zeit war, nach Hause zurückzukehren.

– Was für ein wunderbarer Tag! – dachte sie, als sie nach Hause ging.

Nach einem Tag am Strand fühlte sich Petra vollkommen entspannt und erfrischt. Sie war auch dankbar für die Freundlichkeit von Matthias, der ihr seine Sonnenbrille angeboten hatte und ihren Tag viel angenehmer gemacht hatte.

# Kapitel 8: Petras und ihrer Familien-Picknick

Petra und ihre Familie beschlossen, ein Picknick im Park zu veranstalten. Petras Mutter bereitete Schinken- und Käsesandwiches vor, und ihr Vater brachte Äpfel und Wasserflaschen mit.

Petra war aufgeregt, denn sie liebte es, Zeit an der frischen Luft zu verbringen. Sie setzten sich auf die Decke und begannen zu essen.

– Das schmeckt wirklich gut! – sagte Petra, während sie an ihrem Sandwich kaute.

– Ich freue mich, dass es dir schmeckt, Petra. – antwortete die Mutter mit einem Lächeln.

Während des Essens sah Petra einen Jungen, der mit seinem Hund spielte.

– Was für ein schöner Hund! – rief Petra aus.

– Ja, er ist wirklich verspielt. – sagte der Vater.

Nach dem Essen entschied Petra, dass sie gerne mit dem Hund spielen würde.

– Glaubst du, ich kann mit ihm spielen, Papa? – fragte Petra.

– Du musst den Jungen fragen. – antwortete der Vater.

Petra ging zu dem Hundebesitzer und fragte, ob sie mit dem Hund spielen dürfe. Der Besitzer stimmte zu, und Petra begann, mit dem Hund zu spielen.

– Dieser Hund ist wirklich lustig! – sagte Petra, als der Hund sprang und mit dem Schwanz wedelte.

Nach dem Spiel packte Petra mit ihrer Familie ihre Sachen und kehrte nach Hause zurück, wobei sie Erinnerungen an einen lustigen Tag voller Lächeln, leckerem Essen und gemeinsamen Momenten im Park mitnahm.

# Kapitel 9: Geburtstag

Petra war sehr aufgeregt, denn heute war ihr Geburtstag, und ihre beste Freundin, Anna, hatte für sie eine besondere Überraschung vorbereitet. Anna sagte ihr, sie sollten sich im nahegelegenen Park treffen, um gemeinsam zu feiern.

Als Petra im Park ankam, sah sie, dass ihre Freundin eine kleine, unerwartete Party mit Luftballons und einer leckeren Schokoladentorte vorbereitet hatte.

– Alles Gute zum Geburtstag, Petra! – sagte Anna aufgeregt und überreichte ihr ein Geschenk.

– Vielen Dank, Anna! Ich kann es kaum glauben, dass du das alles für mich gemacht hast.

Nachdem sie ein Stück Torte gegessen und das Geschenk geöffnet hatten, entschied sich Petra, auf den Spielplatz zu gehen.

– Möchtest du Ball spielen, Anna? – fragte Petra.

– Natürlich! Lass uns spielen.

Petra und Anna begannen, Ball zu spielen, lachten und genossen den schönen Tag.

– Oh, Anna, du hast mich fast mit dem Ball getroffen! – rief Petra überrascht aus.

– Hahaha, tut mir leid, Petra. – antwortete Anna, lachend – Ich werde versuchen, besser zu zielen!

Nach dem Spiel setzten sich Petra und Anna ins Gras, um sich auszuruhen und darüber zu sprechen, wie wunderbar dieser Tag war. Sie realisierten, wie glücklich sie waren, beste Freundinnen zu sein und gemeinsam feiern zu können. Petra blies die Kerzen auf ihrer Torte aus und wünschte sich, dass ihre Freundschaft zu Anna immer stark und voller Freude sein würde.

# Kapitel 10: Zoobesuch

Petra und ihre Familie beschlossen, einen Ausflug in den Zoo zu machen. Petra war aufgeregt, denn sie war noch nie zuvor dort gewesen und liebte Tiere.

Als sie ankamen, kauften sie Eintrittskarten und begannen, den Zoo zu erkunden. Sie sahen Löwen, Giraffen, Affen und viele andere interessante Tiere.

Petra war besonders begeistert, als sie die Pinguine sah. Sie liebte es, ihnen zuzusehen, wie sie im Wasser glitten und unbeholfen über das Eis liefen.

Während sie die Pinguine beobachteten, bemerkte Petra, dass einer von ihnen traurig zu sein schien.

– Papa, warum ist dieser Pinguin alleine? – fragte Petra und deutete auf den einsamen Pinguin.

– Manchmal trennen sich Pinguine aus verschiedenen Gründen von der Gruppe, aber mach dir keine Sorgen, das ist normal – antwortete ihr Vater.

Petra beschloss, etwas zu tun, um den einsamen Pinguin aufzumuntern. Sie erinnerte sich daran, dass sie einen Schokoriegel in ihrer Tasche hatte, und dachte, sie könnte ihn dem Pinguin geben.

– Papa, denkst du, der Pinguin wird das essen wollen? – fragte Petra und holte einen Schokoriegel aus ihrer Tasche.

– Ich bin mir nicht sicher, aber du kannst es versuchen – antwortete der Vater.

Petra ging zu dem Pinguin und reichte ihm den Schokoriegel. Der Pinguin schien neugierig zu sein und kam näher, um daran zu schnuppern. Nach einer Weile nahm der Pinguin den Schokoriegel in seinen Schnabel und begann, ihn zu essen.

– Siehst du, Papa, er mag es! – rief die aufgeregte Petra aus.

Nach einem ganzen Tag im Zoo kehrten Petra und ihre Familie müde, aber glücklich nach Hause zurück. Sie hatten einen wunderbaren Tag verbracht, erstaunliche Tiere beobachtet und gemeinsame Erinnerungen geschaffen.

# Kapitel 11: Yogastunde

Petra wollte einen Weg finden, um nach einem stressigen Arbeitstag zu entspannen, deshalb entschied sie sich, an einer Yogastunde in ihrem örtlichen Fitnessstudio teilzunehmen. Als sie ankam, schloss sie sich einer Gruppe von Menschen an, die bereits Dehnübungen und Meditation machten.

Petra fand die Yogastunde sehr entspannend und begann, sie zu genießen. Aber als der Lehrer sie bat, eine komplizierte Position einzunehmen, fühlte sie sich ein wenig unsicher.

– Ich bin mir nicht sicher, ob ich das schaffe. – sagte Petra.

– Mach dir keine Sorgen, Petra, versuch es einfach. Wenn es nicht klappt, mach es so, wie du kannst. – antwortete der Lehrer lächelnd.

Petra gab ihr Bestes, und es gelang ihr schließlich, die Position einzunehmen. Sie fühlte sich sehr stolz und war dankbar für die Geduld des Lehrers.

Nach der Stunde ging Petra zum Lehrer und fragte, ob es eine Möglichkeit gibt, Yoga zu Hause zu üben.

– Ja, es gibt viele Yoga-Videos online, die du zu Hause ansehen kannst. Du kannst auch eine Yogamatte kaufen und in deinem Wohnzimmer üben.

– Danke für den Rat. Ich werde es auf jeden Fall ausprobieren. – sagte Petra und verabschiedete sich vom Lehrer.

Als sie nach Hause kam, suchte Petra nach Yoga-Videos online und begann, sie anzusehen. Sie entdeckte, dass Yoga zu Hause zu praktizieren sehr bequem und entspannend ist.

# Kapitel 12: Abenteuer im Museum

Eines Tages beschloss Petra, das Museum in ihrer Stadt zu besuchen, um interessante Dinge zu entdecken. Sie zog bequeme Kleidung an, nahm einen Rucksack und machte sich aufgeregt auf den Weg zum Museum.

Als sie ankam, war Petra von dem riesigen Eingang und den wunderschönen Skulpturen, die diesen Ort schmückten, beeindruckt. Sie betrat das Museum und ging zum Informationsstand.

– Hallo! Könnte ich Informationen zu den Ausstellungen bekommen? – fragte Petra begeistert.

– Hallo! Natürlich, wir haben verschiedene Räume mit Ausstellungen zu Kunst, Geschichte und Wissenschaft. Was möchtest du zuerst sehen? – antwortete der Mitarbeiter freundlich.

– Ich würde gerne mit dem Raum für Kunst beginnen. Wo kann ich ihn finden? – fragte Petra neugierig.

– Der Raum für Kunst befindet sich im zweiten Stock. Gehen Sie einfach die Treppe hinauf und biegen Sie links ab. – erklärte der Mitarbeiter.

– Vielen Dank für die Informationen! – bedankte sich Petra lächelnd.

Petra ging nach oben und tauchte in den Raum für Kunst ein. Sie blieb vor einem der Gemälde stehen und begann es zu bewundern. Dann kam ein Junge namens Nikolaus zu ihr.

– Hallo, gefällt dir dieses Gemälde? – fragte Nikolaus interessiert.

– Hallo! Ja, es gefällt mir sehr. Die Farben sind wunderschön. – antwortete Petra aufgeregt.

– Weißt du was? Meine Mutter ist Künstlerin und hat mir viel über Malerei beigebracht. Ich kann dir mehr über dieses Werk erzählen, wenn du möchtest. – schlug Nikolaus höflich vor.

– Natürlich! Ich höre mir das gerne an. – sagte Petra begeistert.

Nikolaus begann, die Details des Gemäldes zu erklären, und teilte einige interessante Fakten über den Künstler. Petra war von den neuen Informationen fasziniert. Am Ende bedankte sie sich bei Nikolaus für die Hilfe und setzte ihr Abenteuer im Museum fort.

# Kapitel 13: Die Betreuung von Freunds Haustier

Petra war eine verantwortungsbewusste Person und Tierliebhaberin. Eines Tages bat ihr Freund Daniel sie um einen sehr wichtigen Gefallen.

– Hallo, Petra! Ich muss die Stadt verlassen und brauche jemanden, der sich um meine Katze, Schnuffel, kümmert. Könntest du das für mich tun? – fragte Daniel.

– Hallo, Daniel! Natürlich, ich kümmere mich gerne um Schnuffel. Ich weiß, wie wichtig er für dich ist. – antwortete Petra.

Petra kam zu Daniels Haus und fand Schnuffel im Wohnzimmer auf sie wartend. Nachdem sie sich vergewissert hatte, dass er Futter, Wasser und Spielzeug hatte, kümmerte sich Petra einige Tage lang um ihn. Sie brachte ihn auch in den Park, wo er mit anderen Katzen spielen und die frische Luft genießen konnte. Petra und Schnuffel wurden Freunde und hatten eine großartige Zeit miteinander.

Am Ende der Woche kehrte Daniel zurück, und Petra erzählte ihm von allen Abenteuern, die sie mit Schnuffel hatte.

– Danke, Petra! Ich freue mich, denn ich wusste, dass Schnuffel in guten Händen ist. Du bist wirklich eine wundervolle Freundin. – bedankte sich Daniel.

– Kein Problem, Daniel. Die Pflege von Schnuffel war eine wahre Freude. Ich werde immer hier sein, um dir zu helfen, wenn du mich brauchst.

Petra verabschiedete sich liebevoll von Schnuffel, im Wissen, dass sie während ihrer gemeinsamen Zeit eine besondere Bindung aufbauen konnten. Sie war glücklich, dass sie ihrem Freund helfen und sich um sein geliebtes Haustier kümmern konnte.

# Kapitel 14: Der erste Flug

Petra war aufgeregt, denn sie sollte ihren ersten Flug mit dem Flugzeug antreten. Sie hatte lange Zeit Geld gespart, und endlich war der Tag gekommen, an dem sie in ein fremdes Land fliegen würde. Sie befand sich am Flughafen, mit ihrem Koffer und dem Reisepass in der Hand.

– Guten Tag, womit kann ich Ihnen helfen? – fragte die Flugbegleiterin.

– Hallo, ich habe einen Flug nach London. Wo soll ich mich melden?

Die Flugbegleiterin gab ihr Informationen über das Abfluggate, also machte sich Petra dorthin auf. Sobald sie im Flugzeug saß, fand sie ihren Platz und setzte sich neben eine freundliche Frau.

– Hallo, ist das Platz 15B? – fragte Petra aufgeregt.

– Ja, genau. Ist das dein erster Flug? – antwortete die Frau mit einem Lächeln.

– Ja, das ist mein erster Flug! – antwortete Petra aufgeregt – Ich bin so aufgeregt, aber auch ein wenig nervös.

– Keine Sorge, Flüge sind sehr sicher. Du gewöhnst dich schnell daran. – sagte die Frau, um sie zu beruhigen.

Das Flugzeug hob ab, und Petra schaute aus dem Fenster, beobachtete, wie die Landschaft immer kleiner wurde, je höher sie stiegen.

– Schau, wir fliegen über den Wolken! – rief Petra aufgeregt.

– Ja, das ist wunderschön, nicht wahr? Genieße die Reise. – antwortete die Frau und lächelte.

Während des Fluges hörte Petra aufmerksam auf die Anweisungen des Bordpersonals und befolgte die Hinweise zum Anschnallen und zum Ausschalten elektronischer Geräte.

Schließlich landete das Flugzeug auf dem Flughafen in London, und Petra verabschiedete sich von der Frau, mit der sie den Flug geteilt hatte.

# Kapitel 15: Musikfestival

Petra war aufgeregt, denn an diesem Wochenende fand das Musikfestival in ihrer Stadt statt. Sie hatte monatelang von dieser Veranstaltung gehört und konnte es kaum erwarten. Sie ging mit ihrem Freund Michael ins Stadtzentrum, wo das Festival stattfand.

Als sie am Festivalgelände ankamen, waren sie von der Festivalatmosphäre überrascht, die dort herrschte. Musik erklang in jeder Ecke, und die Energie war ansteckend.

– Schau, da ist die Hauptbühne! Lass uns zuerst dorthin gehen – zeigte Petra.

– Ja, natürlich! Ich möchte mir dort die Rockband ansehen, die ich so mag – sagte Michael lächelnd.

Als sie vor der Bühne standen, begann die Musik zu spielen, und die Bühne erstrahlte in bunten Lichtern. Petra und Michael tanzten, sangen und ließen sich von der Energie der Band mitreißen.

– Das ist mein Lieblingslied! – rief Petra.

Nach dem aufregenden Konzert entdeckten sie eine Bühne mit lateinamerikanischer Musik, auf der eine Band Salsa spielte.

– Ich mag lateinamerikanische Musik sehr! Möchtest du mit mir tanzen? – fragte Petra.

– Natürlich, tanzen wir zusammen zum Rhythmus der Salsa! – antwortete Michael.

Sie tanzten im Rhythmus der Salsa und hatten Spaß mit anderen Teilnehmern, die ebenfalls die Aufführung genossen.

– Das war ein großartiger Tag! Ich freue mich wirklich, dass ich zum Festival gekommen bin – kommentierte Petra glücklich.

Nach Abschluss des Festivals fühlte sich Petra sehr glücklich und sagte, es sei ein fantastischer Tag gewesen. Sie konnte es kaum erwarten, im nächsten Jahr wieder zum Festival zu gehen.

# Kapitel 16: Fahrradtour

Petra war begeistert, denn es war wunderschönes sonniges Wetter, und sie beschloss, eine Fahrradtour zu machen. Sie setzte ihren Helm auf und holte ihr Fahrrad aus der Garage.

Als sie durch die Straßen ihrer Stadt radelte, sah sie ihre Freundin Sophia, die ebenfalls mit dem Fahrrad unterwegs war.

– Hallo Sophia! Was machst du hier? – rief Petra aufgeregt.

– Hallo Petra! – antwortete Sophia überrascht – Ich fahre zum Park. Möchtest du mitkommen?

– Natürlich! Das wäre großartig.

Petra und Sophia stiegen auf ihre Fahrräder und begannen gemeinsam entlang des Radwegs zu radeln. Sie genossen den Wind in ihren Haaren und unterhielten sich.

Sie kamen im Park an und sahen den See mit schwimmenden Enten. Sie entschieden sich, anzuhalten und einen Moment lang zuzuschauen.

– Schau, die Enten sind so süß. – zeigte sie auf den See – Ich liebe die Natur, die wir hier finden.

– Ja, das ist wunderbar. – antwortete aufgeregt – Ich fühle mich so innerlich ruhig, umgeben von dieser schönen Natur.

Schließlich kehrten Petra und Sophia zum Ausgangspunkt zurück, wo sie ihre Fahrräder abgestellt hatten. Sie stiegen ab und setzten sich auf eine Bank, um sich auszuruhen.

– Danke, dass du mich zu dieser Fahrradtour mitgenommen hast, Sophia. – sagte Petra freudig – Es war großartig.

– Gern geschehen, Petra. – antwortete Sophia lächelnd – Ich freue mich, dass es dir gefallen hat. Wir sollten das definitiv öfter machen.

Mit einem Lächeln im Gesicht und einem Herzen voller Freude verabschiedeten sich Petra und Sophia und beschlossen, mehr gemeinsame Fahrradabenteuer zu planen.

# Kapitel 17: Zubereitung eines besonderen Mahls

Es war der Tag, an dem Petra ihre Familie mit einer besonderen Mahlzeit überraschen wollte. Sie war aufgeregt und entschlossen, etwas Köstliches zuzubereiten. Petra legte eine Schürze an und begab sich in die Küche.

– Hallo Mama, hallo Papa! – rief Petra beim Betreten des Hauses – Heute möchte ich für euch eine besondere Mahlzeit zubereiten. Möchtet ihr etwas Neues ausprobieren?

– Natürlich, Tochter! – antwortete der Vater – Was hast du im Sinn?

– Ich möchte hausgemachte Pasta mit Tomatensoße und Fleischbällchen machen. Passt das für euch? – fragte Petra.

– Klingt köstlich! – antwortete die Mutter begeistert – Brauchst du Hilfe?

– Es wäre toll, wenn du mir mit der Tomatensoße helfen könntest, und ich werde die Fleischbällchen machen.

Petra und ihre Mutter begaben sich in die Küche. Petra schälte Tomaten, während ihre Mutter eine Pfanne mit Olivenöl erhitzte. Nachdem die Zutaten nach dem Rezept gemischt waren, formte Petra kleine Bällchen und legte sie auf ein Backblech. Bald darauf war die Tomatensoße fertig, und die Fleischbällchen bräunten sich im Ofen.

– Das Essen ist fertig! – rief Petra – Kommt an den Tisch.

Die Familie genoss eine köstliche Mahlzeit, die Petra mit Liebe zubereitet hatte.

– Petra, dieses Essen ist erstaunlich. – sagte der Vater lächelnd – Du bist eine großartige Köchin!

– Ich bin sehr stolz auf dich, Tochter. – fügte die Mutter zufrieden hinzu.

– Danke, Mama, Papa. – antwortete Petra freudig – Ich freue mich, dass es euch geschmeckt hat.

Mit einem Lächeln im Gesicht genoss die Familie einen besonderen Moment, indem sie sich an einem köstlichen Essen und der Liebe erfreuten, die in seiner Zubereitung steckte.

# Kapitel 18: Bergausflug

Petra und ihre Freunde Peter und Laura entschieden sich für einen aufregenden Ausflug in die Berge. Sie trafen sich vorher an einem vereinbarten Treffpunkt mit Rucksäcken voll Wasser und Snacks. Sie begannen ihre Wanderung auf dem markierten Pfad.

– Wow, die Aussicht hier oben ist unglaublich. – rief Petra aufgeregt.

– In der Tat, jeder Schritt, den wir machen, ist es wert. – antwortete Peter.

Sie setzten ihre Wanderung fort und genossen die wunderschöne Landschaft, machten eine Pause an einem Bach. Als sie den Pfad entlang gingen, zeigte Peter auf einen bestimmten Baum und rief:

– Schaut euch diesen riesigen Baum an! Es sieht aus wie aus einem Märchen.

Petra und Laura blieben stehen, um den majestätischen Baum zu bewundern, und drückten ihre Begeisterung mit einem Lächeln im Gesicht aus. Dann setzten sie ihre Wanderung fort und steuerten auf anspruchsvolleres Gelände zu. Während sie weitergingen, wurde das Gelände steiler und anspruchsvoller.

– Geben wir nicht auf! Wir sind fast auf dem Gipfel. – ermutigte Petra die Gruppe.

Schließlich erreichten sie den Gipfel und waren beeindruckt von der panoramischen Aussicht.

– Das ist ein erstaunlicher Ort! – sagte Laura bewundernd.

– Das war jede Anstrengung wert! – rief Peter emotional aus.

Sie verbrachten eine Weile damit, den Moment zu genießen, die Ruhe und die Größe der sie umgebenden Natur aufzusaugen.

Sie ruhten eine Weile aus und begannen dann den Abstieg, wobei sie einzigartige Erinnerungen mitnahmen.

– Das war ein unglaubliches Abenteuer. – bedankte sich Petra – Danke für diesen Tag.

– Die Natur gibt uns Energie. – antwortete Peter dankbar – Es war großartig, das zusammen erleben zu dürfen.

Mit einem Gefühl der Zufriedenheit und Freude kehrten sie nach Hause zurück, wissend, dass sie ein besonderes Abenteuer erlebt hatten, und freuten sich auf zukünftige gemeinsame Erkundungen.

# Kapitel 19: Salsa lernen

Petra beschloss, Salsa zu lernen, und heute hatte sie ihre erste Unterrichtsstunde. Sie kam frühzeitig im Tanzstudio an und traf ihre Freundin Laura.

– Hallo Laura! – rief die aufgeregte Petra aus – Bist du bereit, Salsa zu lernen?

– Hallo Petra! – antwortete Laura – Ja, ich bin aufgeregt, aber auch ein wenig nervös. Ich habe noch nie zuvor Salsa getanzt.

– Keine Sorge, ich bin sicher, wir werden das großartig machen!

Nach einer Weile betrat der Salsa-Lehrer, Karl, den Raum.

– Hallo Mädels! – begrüßte Karl sie enthusiastisch – Willkommen zum Salsa-Unterricht.

Die Stunde begann mit Aufwärmübungen, um die Muskeln vorzubereiten. Dann lehrte Karl sie die grundlegenden Schritte der Salsa.

– Fangt mit dem rechten Fuß an, macht einen Schritt zur Seite. – erklärte Karl – Dann bringt den linken Fuß zum rechten und setzt den rechten Fuß wieder an seine Stelle. Wiederholt das Gleiche auf der anderen Seite.

Nach dem Üben der Grundschritte zeigte Karl ihnen schwierigere Bewegungen.

– Jetzt werden wir Drehungen und Figuren machen. – sagte Karl – Hört auf meine Anweisungen und geht im Rhythmus der Musik.

Petra und Laura versuchten, Karls Anweisungen zu folgen. Nach und nach fühlten sie sich sicherer und begannen, den Rhythmus der Salsa zu verstehen.

Am Ende des Unterrichts lobte Karl Petra und Laura für ihre Fortschritte.

– Ihr habt das wirklich gut gemacht, Mädels! Übt weiter, und bald werdet ihr großartige Salsa-Tänzerinnen sein.

– Danke, Karl! – bedankte sich Petra – Bis zum nächsten Unterricht.

Mit den Klängen der Salsamusik, die durch das Tanzstudio hallten, verließen Petra und Laura den Raum voller Energie und Freude, bereit, ihr Abenteuer in der Welt des Tanzes fortzusetzen.

## Kapitel 20: Regentag zu Hause

Es war ein regnerischer Tag, und Petra war zu Hause, ohne etwas zu tun. Sie war gelangweilt und sehnte sich danach, dass die Sonne scheinen würde, damit sie nach draußen gehen und draußen spielen könnte. Plötzlich klingelte das Telefon.

– Hallo! – meldete sich die aufgeregte Petra am Telefon.

– Hallo Petra! – antwortete ihre Freundin Alice – Was machst du an diesem regnerischen Tag?

– Nicht viel, ich langweile mich zu Hause. – sagte Petra enttäuscht.

– Keine Sorge! Ich habe eine Idee. Wie wäre es mit einem Nachmittag voller Spiele bei mir zu Hause? – schlug Alice begeistert vor.

– Klingt großartig! Ich würde das wirklich gerne machen. – rief Petra aufgeregt über die Vorstellung, mit ihrer Freundin zu spielen.

Petra machte sich schnell fertig und machte sich auf den Weg zu Alices Haus. Nach ihrer Ankunft setzten sich die beiden Mädchen ins Wohnzimmer und begannen, ihr Lieblingsspielbrettspiel zu spielen.

– Schau, Petra! Ich bin die Gewinnerin! – rief Alice aufgeregt nach dem Gewinn einer Runde.

– Herzlichen Glückwunsch, Alice! Du bist die Beste in diesem Spiel. – sagte Petra und lachte.

Nach einigen Runden Spielen beschlossen die Mädchen, eine Pause einzulegen und einen Snack zu sich zu nehmen.

– Ich habe Kekse und Saft. Möchtest du etwas, Petra? – fragte Alice höflich.

– Ja, bitte! Ich liebe Kekse. – antwortete Petra aufgeregt.

Während sie ihren Snack genossen, hörten sie den Klang des Regens, der gegen die Fenster schlug.

– Selbst wenn wir zu Hause sind, haben wir eine großartige Zeit! – sagte Petra mit einem Lächeln.

– Genau! Manchmal können regnerische Tage schön sein, wenn wir sie zusammen verbringen. – sagte Alice freudig.

Sie verbrachten den Rest des Nachmittags lachend, spielend und genossen die Gesellschaft des anderen. Obwohl die Sonne nicht hinter den Wolken hervorkam, verwandelten Petra und Alice den regnerischen Tag in einen Tag voller Spaß und Lachen im gemütlichen Zuhause.

# Übungen zu den Kapiteln

### Kapitel 1: Ankunft in der Stadt

Beantworte die folgenden Fragen:

1. Wie heißt die Hauptfigur in Kapitel 1?

2. Wie alt ist Petra?

3. Wie fühlt sich Petra, wenn sie in die Stadt kommt?

4. Was nimmt Petra mit, wenn sie durch die Straßen der Stadt spaziert?

5. Wer ist Paul und wie hilft er Petra?

6. In welcher Straße wohnt Petra?

### Kapitel 2: Lebensmittelgeschäft

Vervollständigen Sie die folgenden Sätze mit den entsprechenden Wörtern:

1. Petra hat beschlossen, zum nächsten _________ zu gehen.

2. Der Laden war _________ und sauber.

3. Petra kaufte _________ und frischen Salat in der Gemüseabteilung.

4. ____________ befanden sich rechts neben den Dosenprodukten.

5. Petra kaufte Äpfel und ________ in der Obstabteilung.

6. Petra bezahlte ihre Einkäufe mit ihrer ___________ .

**Kapitel 3: Treffen mit den Nachbarn**

Zeigen Sie an, welche der folgenden Aussagen WAHR oder FALSCH sind:

1. Petra hat eine Einladung zu einem Treffen mit den Nachbarn in ihrem neuen Gebäude erhalten.

2. Das Treffen fand im Park statt.

3. Das Treffen war für Sonntagmorgen geplant.

4. Der Präsident des Vereins sprach über kommende Veranstaltungen.

5. Petra fühlte sich während des Treffens nicht wohl unter ihren Nachbarn.

6. Petra war mit der Lage des Gebäudes unzufrieden.

**Kapitel 4: Der erste Arbeitstag**

Antworten Sie auf die folgenden Fragen:

1. Warum war Petra begeistert?

a) Weil sie eine neue Arbeit beginnen sollte.

b) Weil sie gerade ihre vorherige Arbeit beendet hatte.

c) Weil sie in den Urlaub fuhr.

2. Wer begrüßte Petra im Büro?

a) Ihr Freund.

b) Ihr Teamkollege.

c) Ihr Chef.

3. Was zeigte David Petra im Büro?

a) Verschiedene Abteilungen.

b) Wichtige Dokumente.

c) Das Café.

4. Wer war Petras Teamkollege?

a) David.

b) Sebastian.

c) Kunde.

5. Welche Aufgabe gab David Petra am Ende?

a) Sich dem Team vorstellen.

b) Mit der Arbeit beginnen.

c) Wichtige Dokumente zeigen.

6. Was hat Petra nach getaner Arbeit gemacht?

a) Sie traf sich mit ihrem Chef, um ihre Ergebnisse zu besprechen.

b) Sie knüpfte neue Freundschaften im Büro.

c) Sie ging nach Hause, um sich auszuruhen.

**Kapitel 5: Treffen mit Freunden**

Zeigen Sie an, welche der folgenden Aussagen WAHR oder FALSCH sind:

1. Petra hat sich kürzlich mit Freunden getroffen.

2. Petra lernt Spanisch.

3. Petra hat keine Zeit für Ausflüge wegen der Arbeit.

4. Michael interessiert sich für das Erlernen der französischen Sprache.

5. Anna sorgt sich um den Mangel an Ideen für den Urlaub.

6. Petra hat Anna zu einer gemeinsamen Reise nach Frankreich eingeladen.

**Kapitel 6: Besuch in der Bibliothek**

Antworten Sie auf die folgenden Fragen:

1. Warum hat sich Petra entschieden, die Bibliothek zu besuchen?

a) Sie wollte Bücher über Finanzen und Wirtschaft finden.

b) Sie hatte ein Treffen mit Lukas und Gregor geplant.

c) Um die Zeit zu vertreiben.

2. Wer hat Petra geholfen, die passenden Bücher zu finden?

a) Gregor.

b) Der Bibliothekar Lukas.

c) Petra hat die Bücher selbst gefunden.

3. Welches Buch hat Lukas Petra empfohlen?

a) Ein Buch über Sozialwissenschaften.

b) Ein Buch über persönliche Finanzen.

c) Ein Buch über Kunst.

4. Was macht Gregor beruflich?

a) Er ist Bibliothekar.

b) Er ist Immobilienmakler.

c) Er arbeitet in einer Investmentfirma.

5. Was schlug Gregor Petra vor?

a) Finanzberatung.

b) Abendessen.

c) Flugticket.

6. Was hat Petra nach dem Besuch in der Bibliothek gemacht?

a) Sie ist einen Kaffee trinken gegangen.

b) Sie ist nach Hause gegangen, um Bücher zu lesen.

c) Sie hat sich mit ihren Freunden im Park getroffen.

**Kapitel 7: Tag am Strand**

Beantworte die folgenden Fragen:

1. Was hat Petra vergessen?

2. Was hat Matthias Petra angeboten?

3. Wie hat Petra auf das Hilfsangebot reagiert?

4. Was hat Matthias gesagt, als Petra sich bedankt hat?

5. Was hat Petra tagsüber am Strand gemacht?

6. Wie hat sich Petra nach einem Tag am Strand gefühlt?

**Kapitel 8: Petras und ihrer Familien-Picknick**

Vervollständigen Sie die folgenden Sätze mit den entsprechenden Wörtern:

1. Petra und ihre Familie beschlossen, ein __________ im Park zu veranstalten.

2. Petras Mutter machte __________ mit Schinken und Käse.

3. Petras Vater brachte __________ und Wasserflaschen mit.

4. Petra und ihre Eltern setzten sich auf eine __________ und begannen zu essen.

5. Petra sah einen Jungen, der mit seinem __________ spielte.

6. Nach einer Weile des Spielens packte Petra mit ihrer Familie ihre Sachen und kehrte nach __________ zurück.

**Kapitel 9: Geburtstag**

Beantworte die folgenden Fragen:

1. Warum war Petra zu Beginn der Geschichte aufgeregt?

2. Welche besondere Überraschung hat Anna für Marta vorbereitet?

3. Wo trafen sich Petra und Anna, um gemeinsam zu feiern?

4. Was haben Petra und Anna nach dem Kuchenessen und dem Öffnen der Geschenke gemacht?

5. Was ist beim Fußballspiel passiert?

6. Wie haben sich Petra und Anna am Ende ihres Geburtstags gefühlt?

**Kapitel 10: Zoobesuch**

Zeigen Sie an, welche der folgenden Aussagen WAHR oder FALSCH sind:

1. Petra und ihre Familie entschieden sich, den Zoo zu besuchen.

2. Petra war begeistert von dem Anblick der Elefanten im Zoo.

3. Petra und ihre Familie sahen viele verschiedene Tiere im Zoo.

4. Petra schenkte einem Pinguin im Zoo eine Schokoriegel.

5. Der Pinguin lehnte es ab, die Schokoladentafel anzunehmen, die Petra ihm anbot.

6. Am Ende des Tages waren Petra und ihre Familie glücklich, aber müde.

**Kapitel 11: Yogastunde**

Beantworte die folgenden Fragen:

1. Was wollte Petra nach einem stressigen Arbeitstag?

2. Wo entschied sich Petra für Yoga-Stunden?

3. Wie fühlte sich Petra, als der Instruktor sie bat, eine anspruchsvolle Pose einzunehmen?

4. Was schlug der Instruktor Petra vor?

5. Was machte Petra nach ihrer Rückkehr nach Hause?

6. Was entdeckte Petra beim Yoga-Training zu Hause?

**Kapitel 12: Abenteuer im Museum**

Zeigen Sie an, welche der folgenden Aussagen WAHR oder FALSCH sind:

1. Petra beschloss, den Zoo zu besuchen.

2. Petra hatte einen Rucksack.

3. Ein Museumsmitarbeiter gab ihr Informationen über die Ausstellungen.

4. Petra wollte mit dem Besuch des wissenschaftlichen Saals beginnen.

5. Der Kunstraum befindet sich im ersten Stock.

6. Nikolaus ist der Sohn einer Künstlerin.

**Kapitel 13: Die Betreuung von Freunds Haustier**

Lesen Sie den folgenden Textabschnitt und vervollständigen Sie die Sätze mit den passenden Verben in der Vergangenheitsform:

Petra __________ (kommen) zu Daniels Haus und __________ (finden) Schnuffel im Wohnzimmer auf sie wartend. Nachdem sie sich vergewissert __________ (haben), dass er Futter, Wasser und Spielzeug hatte, kümmerte sich Petra einige Tage lang um ihn. Sie __________ (bringen) ihn auch in den Park, wo er mit anderen Katzen spielen und die frische Luft genießen __________ (können). Petra und Schnuffel __________ (werden) Freunde und hatten eine großartige Zeit miteinander.

**Kapitel 14: Der erste Flug**

Lies jeden Satz und wähle die richtige Option (A, B oder C):

1. Petra _______ ihren ersten Flug mit dem Flugzeug.

a) fragte

b) machte

c) sparte

2. Die Flugbegleiterin _______ Informationen zum Gate.

a) gab ihr

b) gab

c) ihr

3. Petra _______ neben einer sympathischen Frau im Flugzeug.

a) setzte

b) setzt sich

c) setzte sich

4. Das Flugzeug _______ und die Landschaft _______ immer kleiner.

a) ist gestartet / wird

b) startet / werdet

c) startete / werden

5. Während des Fluges _______ Petra genau den Anweisungen.

a) höre zu

b) hörte zu

c) hörte auf

6. Schließlich ______ das Flugzeug auf dem Londoner Flughafen.

a) landete

b) lande

c) landen

**Kapitel 15: Musikfestival**

Beantworte die folgenden Fragen:

1. Warum war Petra aufgeregt?

2. Mit wem ging Petra zum Festival?

3. Was haben sie bei ihrer Ankunft auf dem Festivalgelände vorgefunden?

4. Welche Band wollte Michael sehen?

5. Welche andere Musikszene haben sie entdeckt?

6. Wie fühlte sich Petra nach dem Ende des Festivals?

**Kapitel 16: Fahrradtour**

Vervollständigen Sie die folgenden Sätze mit den entsprechenden Wörtern:

1. Petra war begeistert, weil es wunderschön war __________ .

2. Petra setzte ihren __________ auf und holte ihr Fahrrad aus der __________ .

3. Petra rief Sophia zu: "Hallo Sophia! Was __________ du hier?"

4. Petra und Sophia stiegen auf __________ und begannen gemeinsam des __________ entlang.

5. Petra zeigte auf den __________ und rief: "Schau, die __________ sind so süß."

6. Petra dankte Zofia für die Einladung und sagte: "Danke, dass du mich zu dieser Fahrradtour ______________ hast, Sophia. Es war _________."

**Kapitel 17: Zubereitung eines besonderen Mahls**

Zeigen Sie an, welche der folgenden Aussagen WAHR oder FALSCH sind:

1. Petra wollte ihre Familie mit einer besonderen Mahlzeit überraschen.

2. Petra beschloss, Pasta mit hausgemachter Tomatensoße und Fleischbällchen zu machen.

3. Petras Vater wollte etwas anderes probieren.

4. Petra und ihre Mutter schälten gemeinsam Tomaten.

5. Der Familie gefiel das von Petra zubereitete Essen.

6. Petra war traurig und enttäuscht von der Reaktion ihrer Eltern.

## Kapitel 18: Bergausflug

Ordne die Paare richtig zu, indem du den ersten Teil des Satzes mit dem zweiten Teil verbindest:

1. Petra und ihre Freunde Peter und Laura entschieden sich für einen aufregenden Ausflug ...

2. Sie begannen ihre Wanderung auf dem markierten ...

3. Die Aussichten von oben waren ...

4. Petra und Laura hielten an, um ...

5. Während sie aufstiegen, wurde das Gelände ...

6. Sie ruhten eine Weile aus und begannen dann den Abstieg ...

a) ... majestätische Bäume bewundern.

b) ... in die Berge.

c) ... unglaublich.

d) ... steiler und anspruchsvoller.

e) ... pfad.

f) ... wobei sie einzigartige Erinnerungen mitnahmen.

## Kapitel 19: Salsa lernen

Antworten Sie auf die folgenden Fragen:

1. Wie hat sich Laura vor der ersten Salsa-Stunde gefühlt?

a) Aufgeregt und nervös.

b) Gelangweilt und müde.

c) Traurig und wütend.

2. Womit haben die Salsa-Stunden begonnen?

a) Mit dem Aufwärmen.

b) Mit einer Prüfung.

c) Mit einem Wettbewerb.

3. Was hat Karl nach dem Üben der Grundschritte gezeigt?

a) Breakdance-Bewegungen.

b) Schwimmbewegungen.

c) Schwierigere Salsa-Bewegungen.

4. Was haben Petra und Laura gemacht, um Karls Anweisungen zu befolgen?

a) Sie haben die Anweisungen ignoriert.

b) Sie haben eine Pause gemacht.

c) Sie haben versucht, den Anweisungen zu folgen.

5. Was haben Petra und Laura beim Üben gewonnen?

a) Verwirrung und Frustration.

b) Angst und Verzweiflung.

c) Selbstvertrauen und Rhythmus in der Salsa.

6. Was hat Karl am Ende der Stunde getan?

a) Er hat sie dafür kritisiert, dass sie nicht gut zurechtkamen.

b) Er hat ihnen zu ihren Fortschritten gratuliert.

c) Er hat die nächste Stunde abgesagt.

**Kapitel 20: Regentag zu Hause**

Vervollständigen Sie die folgenden Sätze mit den entsprechenden Wörtern:

1. Petra war wegen des schlechten Wetters ________ zu Hause.

a) traurig

b) gelangweilt

c) aufgeregt

2. Alice schlug vor, den Nachmittag ________ bei ihr zu verbringen.

a) Spiele spielend

b) Filme schauend

c) Online-Einkäufe machend

3. Alices Idee machte Petra ________.

a) glücklich

b) wütend

c) erschrocken

4. Am Nachmittag spielten Petra und Alice ihr Lieblingsspiel ________.

a) Computerspiel

b) Brettspiel

c) Kartenspiel

5. Petra und Alice hörten das Rauschen des Regens ________ gegen die Fenster.

a) spielend

b) leuchtend

c) schlagend

6. Petra stellte fest, dass sie sich auch ohne ________ großartig amüsierten.

a) Freunde

b) Sonne

c) Geschenke

# Lösungen

**Kapitel 1: Ankunft in der Stadt**

1. Die Hauptfigur heißt Petra.

2. Petra ist fünfundzwanzig Jahre alt.

3. Petra ist aufgeregt, als sie in die Stadt kommt.

4. Petra nimmt eine kleine Tasche und eine Handtasche mit.

5. Paul ist ein junger Mann, der Petra auf der Straße trifft und ihr hilft, den Weg zu ihrem neuen Zuhause zu finden.

6. Petra wohnt in der Schmetterlingsstraße 23.

**Kapitel 2: Lebensmittelgeschäft**

1. Lebensmittelgeschäft

2. ordentlich

3. Tomaten

4. Früchte

5. Bananen

6. Kreditkarte

**Kapitel 3: Treffen mit den Nachbarn**

1. WAHR

2. FALSCH

3. FALSCH

4. WAHR

5. FALSCH

6. FALSCH

**Kapitel 4: Der erste Arbeitstag**

1. a)

2. c)

3. a)

4. b)

5. b)

6. c)

**Kapitel 5: Treffen mit Freunden**

1. FALSCH

2. FALSCH

3. WAHR

4. FALSCH

5. WAHR

6. WAHR

### Kapitel 6: Besuch in der Bibliothek

1. a)

2. b)

3. b)

4. c)

5. a)

6. b)

### Kapitel 7: Tag am Strand

1. Petra hat ihre Sonnenbrille vergessen.

2. Matthias bot Petra seine Sonnenbrille an.

3. Petra bedankte sich bei Matthias erleichtert.

4. Matthias antwortete: "Kein Problem, ich hoffe, sie werden nützlich sein".

5. Petra hat sich gesonnt, ein Buch gelesen und im Meer geschwommen.

6. Petra fühlte sich entspannt und erfrischt.

### Kapitel 8: Petras und ihrer Familien-Picknick

1. Picknick

2. Sandwiches

3. Äpfel

4. Decke

5. Hund

6. Hause

**Kapitel 9: Geburtstag**

1. Petra war aufgeregt, denn heute war ihr Geburtstag.

2. Anna hat für sie eine kleine Überraschungsparty vorbereitet.

3. Sie trafen sich im nahegelegenen Park.

4. Petra und Anna entschieden sich, Ball zu spielen.

5. Anna hat Petra fast mit dem Ball getroffen.

6. Petra und Anna fühlten sich glücklich und dankbar für ihre besondere Freundschaft.

**Kapitel 10: Zoobesuch**

1. WAHR

2. FALSCH

3. WAHR

4. WAHR

5. FALSCH

6. WAHR

**Kapitel 11: Yogastunde**

1. Petra wollte sich entspannen.

2. Petra entschied sich, sich für Yogastunde in ihrem örtlichen Fitnessstudio teilzunehmen.

3. Petra fühlte sich ein wenig unsicher.

4. Der Instruktor schlug Petra vor, Yoga-Videos im Internet anzusehen und sich eine Yogamatte für zu Hause zu kaufen.

5. Sie fand Yoga-Videos im Internet und begann, sie anzusehen, um zu Hause zu üben.

6. Petra stellte fest, dass das Praktizieren von Yoga zu Hause sehr bequem und entspannend ist.

**Kapitel 12: Abenteuer im Museum**

1. FALSCH

2. WAHR

3. WAHR

4. FALSCH

5. FALSCH

6. WAHR

**Kapitel 13: Die Betreuung von Freunds Haustier**

Petra kam zu Daniels Haus und fand Schnuffel im Wohnzimmer auf sie wartend. Nachdem sie sich vergewissert hatte, dass er

Futter, Wasser und Spielzeug hatte, kümmerte sich Petra einige Tage lang um ihn. Sie brachte ihn auch in den Park, wo er mit anderen Katzen spielen und die frische Luft genießen konnte. Petra und Schnuffel wurden Freunde und hatten eine großartige Zeit miteinander.

**Kapitel 14: Der erste Flug**

1. b)

2. a)

3. c)

4. a)

5. b)

6. a)

**Kapitel 15: Musikfestival**

1. Petra war aufgeregt wegen des Musikfestivals.

2. Sie ging mit Michael zum Festival.

3. Sie entdeckten die Festivalatmosphäre.

4. Michael wollte die Rockband sehen.

5. Sie entdeckten die lateinamerikanische Musikszene.

6. Petra fühlte sich glücklich und zufrieden.

**Kapitel 16: Fahrradtour**

1. Wetter

2. Helm, Garage

3. machst

4. Fahrräder, Radwegs

5. See, Enten

6. mitgenommen, großartig

**Kapitel 17: Zubereitung eines besonderen Mahls**

1. WAHR

2. WAHR

3. FALSCH

4. FALSCH

5. WAHR

6. FALSCH

**Kapitel 18: Bergausflug**

1. b)

2. e)

3. c)

4. a)

5. d)

6. f)

**Kapitel 19: Salsa lernen**

1. a)

2. a)

3. c)

4. c)

5. c)

6. b)

**Kapitel 20: Regentag zu Hause**

1. b)

2. a)

3. a)

4. b)

5. c)

6. b)

Milton Keynes UK
Ingram Content Group UK Ltd.
UKHW020644291123
433416UK00018B/1353